descobrindo o mundo

Estrelas e planetas

Pierre Winters
Ilustrações de **Margot Senden**

Tradução: **Arthur Diego van der Geest**

Copyright do texto e das ilustrações © 2010 by Clavis Uitgeverij, Hasselt, Amsterdã

Publicado originalmente na Bélgica e na Holanda, em 2010, por Clavis Uitgeverij, Hasselt, Amsterdã

Grafia atualizada segundo o Acordo Ortográfico da Língua Portuguesa de 1990, que entrou em vigor no Brasil em 2009.

Título original
STERREN EN PLANETEN

Consultoria
ANA PAULA MACHADO D'ÁVILA
RICARDO PANTE

Revisão
FÁTIMA COUTO

Composição
ROGÉRIO TREZZA

CIP-Brasil. Catalogação na Fonte
Sindicato Nacional dos Editores de Livros, RJ

W746e
    Winters, Pierre
    Estrelas e planetas / texto de Pierre Winters ; ilustrações de Margot Senden ; tradução de Arthur Diego van der Geest. – 1ª ed. – São Paulo : Brinque-Book Saber, 2011.
    il. - (Descobrindo o mundo)

    Título original: Sterren en planeten.
    ISBN 978-85-7412-345-5

    1. Estrelas - Literatura infantojuvenil. 2. Planetas - Literatura infantojuvenil. 3. Literatura infantojuvenil holandesa. I. Senden, Margot. II. Geest, Arthur Diego van der III. Título. IV. Série.

10-5980
CDD: 523.8
CDU: 523

21ª reimpressão

Todos os direitos desta edição reservados à
BRINQUE-BOOK EDITORA DE LIVROS LTDA.
Rua Bandeira Paulista, 702, cj. 72C
04532-002 – São Paulo – SP – Brasil
☎ (11) 3707-3500
 www.companhiadasletras.com.br/brinquebook
 www.blogdaletrinhas.com.br
 /brinquebook
 @brinquebook

A marca FSC® é a garantia de que a madeira utilizada na fabricação do papel deste livro provêm de florestas que foram gerenciadas de maneira ambientalmente correta, socialmente justa e economicamente viável, além de outras fontes de origem controlada.

Esta obra foi composta em Frutiger e impressa em ofsete pela Gráfica HRosa sobre papel Couché Matte da Suzano S.A. para a Editora Brinque-Book em março de 2025

Estrelas e planetas

O dia está bonito hoje. O Sol brilha e não há nenhuma nuvem no céu. O Sol é uma bola grande que nos dá luz e calor. Ele fica lá no alto o dia todo, mas vai escorregando devagarzinho de um lado para outro no céu. Até que...

... ele desaparece por completo. O céu agora fica escuro. Mesmo assim ainda existe luz, porque surge outra bola brilhante lá no alto. Essa é a Lua. Às vezes ela é redonda, outras vezes podemos ver só a metade dela. Às vezes se vê apenas um pedacinho bem fininho da Lua, e de vez em quando ela nem aparece. Ao lado da Lua ainda é possível ver várias outras coisas brilhantes no céu. São as estrelas e os planetas.

A TERRA

Sua casa fica em uma rua. A sua rua faz parte de uma cidade, e a cidade, de um estado. Todos os estados compõem um país. Todos os países e mares juntos formam o nosso planeta. Esse planeta se chama Terra.

A Terra é um planeta que gira em torno do Sol. Leva um ano inteiro para a Terra dar a volta completa em torno dele. Mais da metade da Terra é composta por água, por isso o nosso planeta é um globo azulado.

Você sabia que a Terra gira em torno do próprio eixo, como um pião? É assim que surgem a noite e o dia.

A LUA

Se a Terra fosse do tamanho de uma bola de futebol, então a Lua seria do tamanho de uma bola de tênis.

A Lua é um globo e é feita só de areia, pedras e água em forma de gelo. Por isso a Lua não é azul, mas cinza. Também não existe oxigênio na Lua, por isso ninguém pode viver lá. Mas, mesmo assim, algumas pessoas já estiveram na Lua. Elas foram num foguete e tiveram que vestir roupas espaciais.

Você sabia que o primeiro passageiro espacial foi uma cachorrinha russa? O nome dela era Laika.

Você sabia que a primeira pessoa a pisar na Lua foi o norte-americano Neil Armstrong? Ainda é possível ver a pegada que ele deixou lá.

A Lua gira em torno da Terra, e é por isso que às vezes podemos vê-la e outras vezes não. A Lua não tem luz própria. Só se consegue ver a Lua porque ela reflete a luz do Sol. O Sol é como uma lanterna gigante que ilumina a Lua.

A Lua leva mais ou menos um mês para dar a volta na Terra.

O SOL

O Sol é uma estrela, um globo gigante de gás quente e metal derretido que está sempre em chamas. É tão quente que se chegarmos muito perto dele, nos queimamos imediatamente. Ainda bem que o Sol está bem longe! Ele está a uma distância perfeita para que a vida na Terra seja possível. Luz de mais ou de menos tornaria a vida impossível.

Pense nos desertos, onde é muito quente e seco...

Ou nos polos, onde é frio e úmido.

Isto é uma mancha solar. A mancha solar é um lugar onde é mais frio do que o resto da superfície do Sol.

Se o Sol fosse do tamanho de uma bola pula-pula, então a Terra seria do tamanho de uma ervilha.

AS FASES DA LUA

Lua cheia

Quando a Lua está de um lado da Terra e o Sol do outro lado, você vê a Lua inteira.

Lua minguante

A Lua gira em torno da Terra e às vezes está do lado direito, às vezes do lado esquerdo. Nesse caso, o Sol continua iluminando a Lua toda, mas só podemos ver a metade dela.

Lua nova

Quando a Lua está entre o Sol e a Terra, o Sol ilumina o lado da Lua que não conseguimos ver. É como se a Lua não existisse.

Lua crescente

A Lua vai passando, pouco a pouco, de uma fase para outra: cheia, minguante, nova, crescente.
Aqui no hemisfério sul, vemos a Lua crescente na forma de um "C".

FOGUETE PARA A LUA

Você sabia que um dos maiores telescópios da Terra está na região central do deserto do Atacama, no Chile? Ele fica a 2.635 metros de altitude.

Quando não há nuvens no céu, podemos ver várias estrelas. As pessoas sempre tiveram interesse por elas. Com uma luneta, elas conseguiam ver ainda mais estrelas. Por isso criaram lunetas cada vez maiores e melhores. Construíram também lunetas no alto de montanhas, para ficar mais perto do céu e ver ainda mais estrelas. No mundo inteiro há esses tipos de telescópios.

No céu às vezes podemos ver foguetes. Às vezes há pessoas nesses foguetes. Foi dessa forma que os astronautas chegaram à Lua. Há também estações espaciais que giram em torno da Terra, onde vivem algumas pessoas. Elas pesquisam como é viver no espaço. Assim vamos adquirindo cada vez mais conhecimento, e, no futuro, talvez possamos ir a outros planetas.

Leão

Cisne

AS CONSTELAÇÕES

Já faz muito tempo que as pessoas observam o céu. Antigamente, elas não entendiam muito bem como o mundo funcionava. Acreditavam que havia animais no céu que determinavam o que aconteceria na Terra.

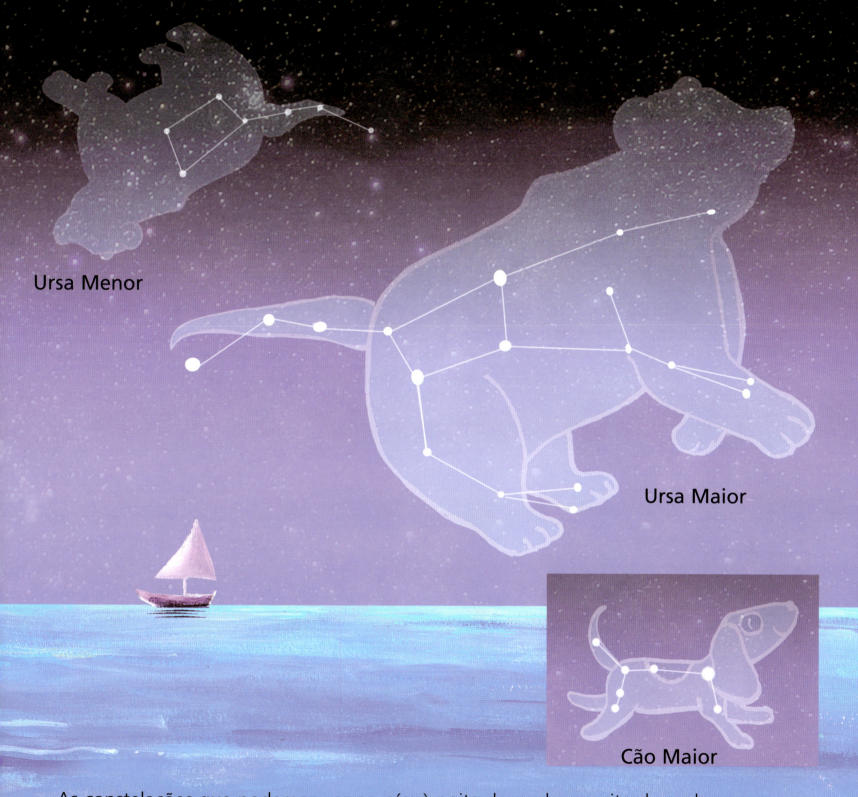

As constelações que podemos ver no céu à noite dependem muito de onde moramos. Quem está no hemisfério norte verá as constelações da Ursa Maior e da Ursa Menor o ano inteiro. Nós, brasileiros, que moramos no hemisfério sul, veremos a constelação do Cruzeiro do Sul o ano todo. Dê uma olhadinha para o céu, quem sabe você vê a nossa constelação.

SOBRE O AUTOR

PIERRE WINTERS nasceu e mora em Hasselt, na Bélgica. Depois de uma carreira de mais de trinta anos como editor de sucesso, ele se tornou autor de livros infantis.

SOBRE A ILUSTRADORA

MARGOT SENDEN nasceu e mora em Mechelen, na Bélgica, com suas duas filhas. Tem um interesse especial por astronomia, música, arte e literatura infantojuvenil. Ela trabalha como *designer* gráfica e sonha em se tornar um dia uma ilustradora famosa.

SOBRE O TRADUTOR

ARTHUR DIEGO VAN DER GEEST nasceu em Campinas, em 1991, e viveu seus primeiros quatro anos em Holambra (SP). Aos cinco, viajou com a família para a Holanda, onde foi alfabetizado e frequentou os três primeiros anos do ensino fundamental. Aos 17 anos, ele foi para Sioux Lookout, no Canadá, onde concluiu o ensino médio. Hoje é estudante do curso de geologia da Unicamp.

Leia também: